Grug
y Dylwythen Deg
Borffor

gan Daisy Meadows

Darluniau gan Georgie Ripper

Addasiad gan Elin Meek

RILY

Palas
Gwlad y
Tylwyth Teg

Drysfa

Coedwig

Crochan
Du

Perllan

Dolydd

Twr

Traeth

Pyllau Glan Môr

Ynys Swynlaw

Creg

Gwyntoedd oer, a rhew ac eira,
Storm a ddaw – pob lliw ddiflanna.
I bob cornel bell o'r Ynys
Taflaf Dylwyth Teg yr Enfys!

Anfonaf storm, anfonaf felltith –
Gwae i bawb yng Ngwlad y Tylwyth!
Am byth bythoedd fe fydd trwbwl –
Eu gwlad a fydd dan law a chwmwl.

Mae Tylwyth Teg yr Enfys i gyd
gyda'i gilydd, heblaw am un!
Ond ddaw Hud yr Enfys byth yn ôl heb
Grug y Dylwytheg Deg Borffor

Cynnwys

Neges ar Farcut

"Alla i ddim credu mai hwn yw
diwrnod olaf ein gwyliau ni!" meddai
Siriol. Syllodd i fyny ar ei barcut wrth
iddo godi yn yr awyr las glir.

Gwyliodd Catrin y barcut porffor yn
hedfan fry uwchben y cae wrth ymyl
Bwthyn y Fôr-forwyn. "Ond cofia,
mae'n rhaid i ni ddod o hyd i Grug!"
meddai wrth Siriol.

Roedd Jac y Rhew wedi anfon saith Tylwythen Deg yr Enfys i Ynys Swynlaw. A heb Dylwyth Teg yr Enfys, doedd dim lliw yng Ngwlad y Tylwyth Teg! Roedd Catrin a Siriol wedi dod o hyd i chwech yn barod: Ceirios, Gwawr, Heulwen, Alaw, Glesni ac Indeg. Nawr dim ond Grug, y Dylwythen Deg Borffor, oedd ar ôl.

Teimlodd Siriol linyn y barcut yn plycio. Edrychodd i fyny. Roedd rhywbeth porffor ac arian yn fflachio ym mhen draw cynffon hir y barcut.

"Edrych i fyny!" gwaeddodd.

Cododd Catrin ei llaw i gysgodi ei llygaid. "Beth yw e? Wyt ti'n meddwl mai tylwythen deg sy 'na?" gofynnodd.

"Dwi ddim yn siŵr," meddai Siriol, gan ddirwyn y llinyn.

Wrth i'r barcut ddod tuag atyn nhw, gwelodd Catrin fod darn hir o ruban porffor wedi'i glymu wrth ei gynffon. Helpodd hi Siriol i ddatod y rhuban a'i wasgu'n llyfn.

"Mae ysgrifen fach arian drosto," meddai Siriol.

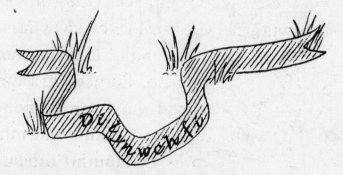

Plygodd Catrin i gael gwell golwg. "Mae'n dweud, Dilynwch fi."

Yn sydyn, cododd y rhuban yn yr awel a hofran ar draws y cae.

"Mae'n ein harwain ni at Grug, siŵr o fod!" meddai Catrin, gan neidio ar ei thraed.

Caeodd Siriol ei barcut. "Mam, gawn ni fynd am dro unwaith eto cyn mynd?" galwodd.

Roedd y ddwy fam yn siarad yn yr ardd y tu allan i Fwthyn y Fôr-Forwyn. Roedd teulu Catrin yn aros ym Mwthyn y Dolffin, drws nesaf. "Wrth gwrs, os yw mam Catrin yn cytuno," atebodd mam Siriol.

"Popeth yn iawn," meddai mam Catrin. "Ond peidiwch â mynd yn bell. Mae'r fferi'n gadael am bedwar o'r gloch."

"Rhaid i ni frysio!" sibrydodd Siriol wrth Catrin.

Rhedodd y ddwy drwy'r borfa las, gan ddilyn y rhuban oedd yn codi a disgyn yn yr awel.

Yn sydyn, diflannodd y rhuban y tu ôl i glawdd trwchus.

"I ble'r aeth e, tybed?" gofynnodd Catrin.

"Fan hyn!" meddai Siriol, gan wthio un o'r canghennau o'r ffordd.

Gwasgodd y ddwy drwy'r clawdd. Wrth lwc, doedd y dail ddim yn rhy bigog. Yr ochr draw roedd 'na lwybr a chlwyd. Roedd arwydd ar y glwyd, mewn paent porffor, yn dweud:

FFAIR
HAF
HEDDIW!

Aeth Catrin a Siriol drwy'r glwyd ac i mewn i ardd hyfryd. Roedd stondinau'n gwerthu candi-fflos a hufen iâ ar hyd ymyl lawnt werdd wastad, a llond y lle o bobl yn siarad a chwerthin.

"Am ffair hyfryd!" meddai Siriol mewn syndod. Trodd dynes a merch fach oedd yn dal tri balŵn a gwenu arni hi.

Yn sydyn, sylwodd Catrin fod y
rhuban yn hedfan i gyfeiriad y
ceffylau bach ym mhen pellaf y lawnt.
Lapiodd y rhuban ei hun o gwmpas y
polyn baner euraid a dawnsio yn yr
awel fel baner. "Mae'r
rhuban yn ein harwain
ni at y ceffylau
bach, mae'n
rhaid!" meddai
Catrin, a
rhedodd y
ddwy dros y
borfa. Roedd
stondin y
ceffylau bach
yn hardd, fel
castell tylwyth teg.
Syllodd Siriol yn llawn cyffro ar y
cylch o geffylau pren ar eu polion
llachar.

"Helô 'na!" galwodd llais cyfeillgar y
tu ôl iddyn nhw. "Hywel Llywelyn ydw
i. Ydych chi'n hoffi fy ngheffylau bach
i?"

Roedd hen ŵr a gwallt gwyn yn
gwenu'n garedig arnyn nhw. "Ydyn,
maen nhw'n hyfryd," meddai Siriol.

Gwyliodd Catrin y ceffylau pren yn
codi ac yn disgyn i guriad y
gerddoriaeth fywiog. "Edrych, Siriol,"
ebychodd. "Mae'r ceffylau i gyd yn
lliwiau'r enfys! Coch, oren, melyn,
gwyrdd, glas, indigo a phorffor."

Edrychodd Siriol yn ofalus. Wrth i'r ceffylau chwyrlïo heibio, gallai weld llun ar y piler yn y canol – llun o geffylau o liw'r enfys yn carlamu ar hyd traeth.

Arafodd y ceffylau bach a daeth y gerddoriaeth i ben. Dringodd Mr Llywelyn i helpu'r plant oddi ar y ceffylau. "Pawb ar y ceffylau ar gyfer y reid nesaf!" galwodd. Rhuthrodd rhagor o blant cyffrous at y ceffylau.

Gwenodd Mr Llywelyn ar Siriol a Catrin. "Beth amdanoch chi'ch dwy?" gofynnodd, a'i lygaid glas yn pefrio.

Reid Hudol

"Fe fydden ni wrth ein bodd!"
meddai Siriol. "Dere, Siriol, mae dau
geffyl ar ôl!" Dringodd ar gefn un
ohonyn nhw. Roedd enw, mewn paent
aur, ar y cyfrwy. "Y Dywysoges
Indigo yw enw fy ngheffyl i,"
meddai Catrin, gan anwesu mwng
y ceffyl.

Dringodd Siriol ar geffyl hardd arall. Roedd ganddo gôt o liw porffor ysgafn a mwng arian. "A Porffor Perffaith yw enw f'un i," meddai.

"Daliwch yn dynn, bawb!" gwaeddodd Mr Llywelyn.

Daeth sŵn cerddoriaeth eto a dyma'r ceffylau bach yn dechrau troi. Symudodd Porffor Perffaith a'r Dywysoges Indigo i fyny ac i lawr ar eu polion lliwgar.

Chwarddodd Siriol yn uchel wrth i'r ceffylau droelli'n gynt a chynt.

Fflachiodd yr ardd heibio, a diflannodd y blodau a'r llwybrau. Pylodd sŵn y gerddoriaeth a'r chwerthin. Rhoddodd calon Siriol naid fach. Yr unig geffyl a welai hi nawr oedd ceffyl Catrin, y Dywysoges Indigo. Roedd carnau Porffor Perffaith yn taranu ar y ddaear oddi tani.

Teimlodd Catrin awel y môr yn plycio'i gwallt. Roedd y Dywysoges Indigo'n taflu'i phen ac yn codi tywod wrth garlamu yn ei blaen.

"O!" ebychodd Catrin, gan flasu halen y môr ar ei gwefusau. "Mae hyn fel mynd ar gefn ceffyl go iawn!"

"Mae'n wych!" cytunodd Siriol. Roedd hi'n teimlo fel petai hi'n rasio ar hyd rhyw draeth, yn union fel y ceffylau ar y llun ar y piler yng nghanol y ceffylau bach.

Ond yn sydyn, dechreuodd y ceffylau arafu. Diflannodd y traeth tywod, a daeth sŵn y gerddoriaeth yn ôl. Arafodd y ceffylau bach i stop.

Anwesodd Catrin wddf y Dywysoges Indigo wrth ddringo oddi arni. "Diolch am y reid arbennig!" sibrydodd. Yna trodd at Siriol. "Mae'n amlwg mai ceffylau hud yw'r rhain – ond ble mae Grug y Dylwythen Deg Borffor?"

Llithrodd Siriol oddi ar gyfrwy Porffor Perffaith. "Dwn i ddim," meddai.

Yna clywodd sŵn chwerthin bach tawel
o'r tu ôl iddi. Trodd Siriol. Doedd neb
yno, dim ond y llun ar y piler yng
nghanol y ceffylau bach.

Edrychodd Siriol eto. Roedd
tylwythen deg ar gefn y ceffyl
porffor! Roedd hi'n gwisgo
ffrog fer, sanau porffor hir,
a sliperi bale. Roedd
tusw bach o flodau
porffor y tu ôl i un o'i
chlustiau.

"Catrin!" sibrydodd Siriol, gan
bwyntio. "Dwi newydd ddod o hyd i
Grug y Dylwythen Deg Borffor!"

Y Seithfed Dylwythen Deg

Roedd Mr Llywelyn yn helpu'r plant eraill i ddod oddi ar y ceffylau bach. Yn gyflym, gwthiodd Siriol a Catrin heibio i gael gwell golwg ar y piler.

"Mae'n rhaid bod Grug wedi'i dal yn y llun!" meddai Siriol.

"Rhaid i ni ei chael hi allan!" meddai Catrin.

"Rhaid," cytunodd Siriol. "Ond sut, gyda chymaint o bobl o gwmpas?"

Ar hynny, dyma Mr Llywelyn yn curo'i ddwylo. "Dilynwch fi, bawb. Mae'r clowniaid wedi cyrraedd!" meddai.

Gwaeddodd pawb hwrê a sgrialu oddi ar y ceffylau bach. Rhedodd y plant eraill i gyd dros y lawnt tuag at y clowniaid, gan adael Siriol a Catrin ar eu pennau eu hunain.

"Dyma'n cyfle ni!" meddai Catrin.

"Dwi'n gwybod! Beth am ddefnyddio'n bagiau hud?" awgrymodd Siriol. Roedd Gwen ap Nudd, Brenhines y Tylwyth Teg, wedi rhoi bagiau yn anrhegion arbennig i Catrin a Siriol i'w helpu i achub Tylwyth Teg yr Enfys.

"Wrth gwrs! Dyma f'un i fan hyn." Rhoddodd Catrin ei llaw yn ei phoced a thynnu ei bag hud allan. Roedd golau euraidd yn pefrio ohono. Pan agorodd y bag, cododd cwmwl o befr i'r awyr.

Llithrodd Catrin ei llaw i'r bag. Roedd rhywbeth yno, yn hir a thenau fel pensil. Brws paent aur pitw bach oedd e.

"Sut mae'r brws yn mynd i helpu?" holodd Catrin. "Dydyn ni ddim eisiau peintio *rhagor* o luniau."

"Efallai bod Grug yn gwybod," awgrymodd Siriol. "Fe ddywedodd Gwawr wrthon ni sut i'w helpu hi pan oedd hi'n sownd yn y gragen."

"Syniad da," meddai Catrin. Wrth iddi blygu'n nes at y piler, dyma blaen y brws yn cyffwrdd â llaw'r dylwythen deg yn y llun.

Yn sydyn, pefriodd y llun i gyd, a symudodd bysedd bach y

dylwythen deg! Cwympodd un blodyn fioled yn araf o'r llun.

"Edrych!" ebychodd Siriol.

"Mae'r brws yn gweithio rhyw hud ar y llun!" sibrydodd Catrin.

Dechreuodd hi symud y brws o gwmpas amlinell y dylwythen deg.

I ddechrau, ddigwyddodd dim byd. Yna, pefriodd y llun yn fwy llachar byth. Crynodd y dylwythen deg. "Mae'r brws yn cosi!" chwarddodd yn hapus.

Roedd y brws hud wedi dod â Grug yn fyw eto!

Gwnaeth Siriol yn siŵr nad oedd neb yn eu gwylio nhw. Yna, wrth i Catrin symud y brws eto, neidiodd y dylwythen deg allan o'r llun, a'i hadenydd yn fflachio fel gemau. Saethodd llwch tylwyth teg porffor i bob man, gan droi'n flodau fioled oedd yn chwyrlïo o'i chwmpas.

"Diolch o galon am fy achub i!"
meddai Grug, yn hofran o'u blaenau
nhw, gan gydio mewn hudlath borffor,
a'i blaen yn arian. "Grug y Dylwythen
Deg Borffor ydw i! Pwy ydych chi?
Wyddoch chi lle mae fy chwiorydd?"

"Siriol ydw i, a dyma Catrin,"
meddai Siriol. "Mae dy chwiorydd i
gyd yn ddiogel yn y crochan ym mhen
draw'r enfys."

"Hwrê!" Troellodd
Grug yn hapus,
nes bod
gwreichion
porffor yn
saethu i bob
man. "Alla i
ddim aros cyn
eu gweld nhw eto."

FFAIR HAF HEDDI\

Estynnodd Catrin ei llaw a glaniodd Grug arni'n dyner. Cuddiodd Catrin hi o'r golwg nes eu bod wedi rhedeg drwy'r ardd, a heibio i'r holl bobl oedd yn gwylio'r clowniaid. Rhedon nhw allan drwy'r glwyd, ac i lawr y llwybr oedd yn arwain at y goedwig. Yn ddwfn yng nghanol y goedwig roedd llannerch dawel gyda helygen ar un ochr iddi. Roedd y crochan ym mhen draw'r enfys wedi'i guddio o dan y canghennau hir.

33

Cyn gynted ag y cyrhaeddodd Siriol
a Catrin y llannerch, daeth gwaedd o'r
crochan. Gwibiodd Indeg y Dylwythen
Deg Indigo allan. "Grug! Rwyt ti'n
ddiogel!" gwaeddodd. "Edrychwch,
bawb! Mae Siriol a Catrin wedi dod o
hyd i'n chwaer ni oedd ar goll!"

Hedfanodd Heulwen allan o'r
crochan ar gefn gwenynen enfawr, a'r
Tylwyth Teg yr Enfys eraill yn ei
dilyn. Roedd yr awyr yn fflachio ac yn
suo gyda swigod persawrus, blodau a
dail, sêr, diferion o inc a ieir bach yr

haf. Neidiodd Brochfael y broga allan o'r tu ôl i'r crochan, yn wên o glust i glust.

Wrth i'r tylwyth teg hedfan i roi cwtsh a chusan i Grug, cymysgodd ei llwch tylwyth teg â'u llwch nhw, a daeth arogl fioled i lenwi'r llannerch.

"Roedden ni'n *gwybod* dy fod ti'n dod," meddai Gwawr y Dylwythen Deg Oren, gan olwyndroi yn yr awyr. "Dwi wedi bod yn teimlo'r hud yn pefrio drwy'r bore!"

Daliodd Siriol a Catrin ddwylo a dawnsio mewn cylch. Roedden nhw wedi llwyddo! Roedden nhw wedi dod o hyd i saith Tylwythen Deg yr Enfys!

"A phwy sy fan hyn?" gofynnodd Grug i Heulwen y Dylwythen Deg Felen, gan estyn ei llaw i gosi brenhines y gwenyn o dan ei gên.

"Dyma'r Frenhines fach," meddai Heulwen, gan roi cusan ar ben blewog y wenynen. "Hi achubodd fy hudlath ar ôl i'r coblynnod ei dwyn hi."

bsssssss

Pefriodd adenydd
Ceirios y
Dylwythen Deg
Goch wrth
iddi hedfan i
lawr a glanio
ar ysgwydd
Siriol. "Diolch,
Siriol a Catrin,"
meddai.

"Rydych chi'n
ffrindiau da i'r tylwyth teg," cytunodd
Alaw y Dylwythen Deg
Werdd, gan hofran ar
law Catrin. "Gan ein
bod ni i gyd
gyda'n gilydd eto,
rhaid i ni greu enfys
hud i fynd â ni'n
ôl i Wlad y
Tylwyth Teg."

Yn sydyn clywodd Siriol sŵn cracio rhyfedd. Trodd ar ei sawdl. Doedd y pwll ar ymyl y llannerch ddim yn las nawr. Roedd yn wyn a rhew drosto i gyd. Syllodd Siriol a Catrin a'r tylwyth teg ar ei gilydd mewn braw.

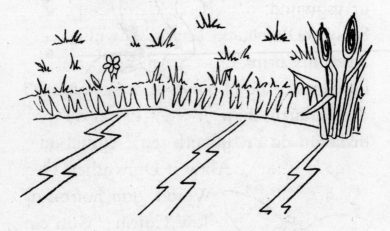

"Coblynnod!" gwaeddodd pawb. Crynodd Glesni y Dylwythen Deg Las mewn ofn a symud yn nes at Heulwen a'r Frenhines.

Roedd dannedd Indeg yn clecian. "Ond mae'n amhosib! Fe gadwodd y Dylwythen Siwgr Eirin nhw yng Ngwlad y Losin, yn casglu ffa jeli!"

Ar hynny, daeth sŵn chwerthin cras dros bob man. Drwy'r llwyni, cerddodd rhywun tal, esgyrnog i'r llannerch. Roedd pibonwy'n hongian o'i ddillad a rhew ar ei wallt gwyn a'i aeliau.

Jac y Rhew oedd e!

Swynion Tylwyth Teg

"Felly rydych chi i gyd gyda'ch gilydd eto!" Roedd llais cynddeiriog Jac y Rhew'n swnio fel pibonwy'n torri.

"Ydyn, diolch i Catrin a Siriol," meddai Ceirios yn ddewr. "A nawr rydyn ni eisiau mynd adref i Wlad y Tylwyth Teg!"

Chwarddodd Jac y Rhew fel sŵn cesair yn taro yn erbyn ffenest wydr.

"Dim gobaith!" meddai. Ond cyn i Jac y Rhew bwyntio'i fys cas, hedfanodd Ceirios y Dylwythen Deg Goch fry i'r awyr. "Dewch, Dylwyth Teg yr Enfys! Rydyn ni gyda'n gilydd eto, felly mae Hud yr Enfys wedi dod 'nôl. Y tro hwn, rhaid i ni ddefnyddio swyn i atal Jac y Rhew. Dilynwch fi!" galwodd. Gwibiodd Indeg at ei chwaer, a throi i wynebu Jac y Rhew gyda'i dwylo ar ei chluniau. Roedd golwg benderfynol ar ei hwyneb. Hedfanodd ei chwiorydd atyn nhw, a chododd pob un ei hudlath, gan lafarganu:

"Gyda'n hudlath yn ein llaw,
Codwn ninnau fur o law!"

Gafaelodd Catrin yn llaw Siriol, gan deimlo'n ofnus iawn. A fyddai'r swyn yn gweithio?

Saethodd chwistrell o liw'r enfys allan o bob hudlath. Yna'n sydyn, roedd wal ddisglair o ddiferion glaw yn hongian fel rhaeadr rhwng y tylwyth teg a Jac y Rhew.

Daliodd Siriol a Catrin eu hanadl.

"Fe fydd angen mwy nag ychydig o ddiferion glaw i roi stop arna i!" gwaeddodd Jac y Rhew yn gas. Pwyntiodd un bys esgyrnog at y wal ddisglair.

Ar unwaith, trodd y diferion glaw yn rhew. Disgynnon nhw ar y borfa rewllyd fel gleiniau bach gwydr a thorri'n deilchion.

Syllodd y tylwyth teg i gyd mewn arswyd. Ochneidiodd Heulwen a Glesni a chaeodd Indeg ei dyrnau. Cydiodd Glesni, Gwawr a Ceirios yn ei gilydd yn dynn. Arhosodd Grug ar y naill ochr, a golwg feddylgar ar ei hwyneb.

Syllodd Siriol a Catrin mewn arswyd
wrth i Jac y Rhew godi ei law eto.

Yna hedfanodd Grug ymlaen,
ysgwyd ei hudlath, a gweiddi:

*"Daw diwedd ar
helynt Jac i gyd
Wrth ei roi mewn swigen hud."*

Daeth swigen lachar allan o hudlath
Grug. Tyfodd yn fwy ac yn fwy.
Edrychai fel swigen o wydr
porffor golau. Dechreuodd
Jac y Rhew chwerthin ac
estyn ei fysedd rhewllyd.
Ond cyn iddo allu gwneud
dim, daeth sŵn suo
uchel. Diflannodd
Jac y Rhew.

Rhythodd Siriol.

Roedd swyn Grug wedi dal Jac y Rhew y *tu mewn* i'r swigen! Disgynnodd yn araf i lawr i'r borfa. Gwasgodd Jac y Rhew ei ddwylo yn erbyn y wal wydr a golwg gynddeiriog arno.

"O, da iawn ti, Grug!" ebychodd Alaw.

"Dewch, bawb. Rhaid i ni fynd i mewn i'r crochan ym mhen draw'r enfys, a chreu enfys hud i fynd â ni 'nôl i Wlad y Tylwyth Teg!" anogodd Grug. "Fe allai Jac y Rhew ddianc, cofiwch!"

Gafaelodd Siriol a Catrin yng nghanghennau'r helygen er mwyn i'r tylwyth teg allu hedfan drwy'r bwlch.

Cododd aeliau bach Grug wrth weld
gwiwer yn sgrialu i lawr
boncyff yr helygen, tuag
at y crochan. "Pwy wyt
ti?" gofynnodd.

"Dyma Fflwffen,"
meddai Alaw, gan
fwytho'r wiwer. "Hi helpodd fi
i ddianc rhag y coblynnod."

"Fe fydd yn rhaid i Fflwffen a'r
Frenhines Fach fynd adref i'w cartrefi
nawr," meddai Glesni'n drist.

"Allan nhw ddim byw gyda chi yng
Ngwlad y Tylwyth Teg?" gofynnodd
Siriol.

"Na, mae eu cartrefi eu hunain
gyda nhw," eglurodd Alaw. "Ond fe
ddown ni 'nôl i ymweld â nhw, wrth
gwrs!" Nodiodd pob un o'r tylwyth
teg, a sychodd Heulwen ddeigryn o'i
llygad.

49

Cododd Alaw ei breichiau i roi un
cwtsh olaf i Fflwffen. Hedfanodd ei
chwiorydd o gwmpas, gan roi cwtsh a
chusan i'r Frenhines fach a Fflwffen.

"Diolch eto am eich help," meddai
Ceirios.

Ffarweliodd y Frenhines fach gan suo
wrth hedfan i ffwrdd. Cododd Fflwffen
ei chynffon i ffarwelio, ac i ffwrdd â hi.

Hedfanodd Grug o flaen Siriol a Catrin. "Hoffech chi ddod gyda ni i Wlad y Tylwyth Teg? Dwi'n siŵr y bydd y Frenhines Gwen ap Nudd a'r Brenin Gwyn ap Nudd eisiau diolch i chi."

Nodiodd Siriol a Catrin yn hapus. Gwenodd Grug a chwifio'i hudlath, gan wneud i lwch tylwyth teg porffor ddisgyn ar y ddwy.

Teimlodd Catrin ei hun yn mynd yn fach. Roedd y borfa fel petai'n rhuthro tuag ati. "Hwrê! Dwi'n dylwythen deg eto!" gwaeddodd.

Chwarddodd Siriol yn llon wrth i adenydd dyfu o'i hysgwyddau.

Ar hynny, daeth gwaedd o'r swigen enfawr.

Trodd Siriol a Catrin i edrych.

Roedd Jac y Rhew yn edrych yn ofnus iawn.

Roedd ei wyneb yn goch, goch ac roedd diferion o ddŵr yn rhedeg dros ei fochau. Roedd e'n *toddi*!

"Wel, fydd e byth yn gallu'ch rhwystro chi rhag mynd 'nôl i Wlad y Tylwyth Teg," meddai Catrin.

Ond disgynnodd adenydd Glesni. Hofranodd hi yn yr awyr, a golwg drist arni.

"Heb Jac y Rhew, fydd dim tymhorau. Mae angen ei oerfel a'i rew i wneud gaeaf," meddai.

"Dim gaeaf?" meddai Indeg mewn syndod. "Ond dwi'n dwlu ar

fynd ar sled yn yr eira
a sglefrio pan fydd yr
afon wedi rhewi."

"Heb y gaeaf, sut
gall y gwanwyn ddilyn?"
holodd Gwawr mewn llais
bach. "Beth fydd yn digwydd
i holl flodau hyfryd
y gwanwyn?"

"Ac mae angen y
blodau ar y gwenyn i
wneud mêl yn yr haf,"
meddai Heulwen yn drist.

"Ar ôl yr haf, mae'r hydref
yn dod. Mae gwiwerod yn casglu
cnau i'w storio cyn gaeafgysgu,"
meddai Alaw.

"Mae'n rhaid i ni gael y
tymhorau i gyd. Os gadawn
ni Jac y Rhew yn y swigen
yna . . ."

53

Roedd golwg drist ar y tylwyth teg.

"Mae hyn i gyd yn wir," meddai Grug. "Ond yn bwysicach fyth, dwi'n teimlo trueni dros Jac y Rhew. Mae e'n edrych yn ofnus iawn."

"Mae Grug yn iawn. Rhaid i ni wneud rhywbeth," meddai Ceirios.

"Ond fe allai wneud swyn arall!" meddai Catrin.

"Hyd yn oed wedyn, mae'n rhaid i ni ei helpu e," meddai Gwawr yn bendant. Ac roedd y tylwyth teg eraill i gyd yn cytuno.

Roedd Catrin yn teimlo'n falch ohonyn nhw. Roedd y tylwyth teg caredig yn ddewr iawn.

"Dwi'n gwybod beth i'w wneud!" Hedfanodd Glesni dros y swigen enfawr. Roedd hi'n edrych yn nerfus iawn am ei bod mor agos at Jac y Rhew.

Sibrydodd ei swyn mor dawel fel nad oedd
Siriol a Catrin yn gallu deall y geiriau.

Llifodd llwch hud glas o hudlath Glesni
ac i mewn i'r swigen. Chwyrlïodd y llwch
a llenwi'r swigen i gyd.

Hedfanodd Siriol a Catrin draw a syllu
i mewn.

Roedd y llwch hud wedi troi'n blu eira
enfawr. Rhewodd y dŵr ar wyneb Jac y
Rhew yn ddiferion pitw bach o
rew. Doedd e ddim yn toddi
nawr! Chwipiodd y gwynt a
throellodd yr eira'n gyflym o
gwmpas Jac y Rhew.

"Mae e'n mynd yn llai ac yn llai!" ebychodd Catrin.

Roedd hi'n iawn. Nawr roedd Jac y Rhew'n llai na choblyn. Yna roedd e'n llai na gwiwer, yna'n llai na'r Frenhines fach. Beth oedd yn mynd i ddigwydd nesaf, tybed?

Daeth sŵn *CLEC* fawr, a thorrodd y swigen. Gostegodd y gwynt a diflannodd yr eira.

Ar y dechrau roedd Catrin yn meddwl bod Jac y Rhew wedi diflannu'n llwyr. Yna sylwodd ar gromen fach wydr ar y borfa. Yn y gromen roedd person bach yn neidio o gwmpas yn wyllt gacwn.

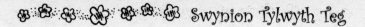

"Cromen eira yw hi!" meddai Catrin mewn rhyfeddod. "Ac mae Jac y Rhew yn sownd ynddi!"

Amser i Greu Enfys

"Da iawn ti, Glesni!" gwaeddodd Siriol.
"Fydd Jac y Rhew ddim yn gallu ein
brifo ni nawr, ac fe allwn ni fynd ag e
adre'n ddiogel i Wlad y Tylwyth Teg."
Hedfanodd draw a chodi'r gromen eira.
Roedd hi'n teimlo'n llyfn ac yn oer, ac
yn crynu wrth i Jac y Rhew neidio o
gwmpas.

59

Herciodd Brochfael tuag at Siriol. "Fe ofala i am y gromen, Miss Siriol," meddai.

Roedd Siriol yn falch o gael ei rhoi iddo.

"Ewch i mewn i'r crochan, bawb!" gwaeddodd Indeg. "Mae'n bryd i ni fynd 'nôl i Wlad y Tylwyth Teg!"

"Hwrê!" bloeddiodd Gwawr, gan droelli yn yr awyr. Cododd Grug ei hudlath a chododd y crochan ar ei bedair coes fer. Hedfanodd Siriol, Catrin a'r holl dylwyth teg i mewn. Dringodd Brochfael y broga i mewn ar eu hôl. Doedd dim llawer o le, ond roedd Siriol a Catrin yn rhy gyffrous i boeni am hynny.

"Barod?" gofynnodd Ceirios.

Nodiodd ei chwiorydd, a golwg ddifrifol ar bob un. Cododd saith Tylwythen Deg yr Enfys eu hudlathau. Daeth fflach uwch eu pennau, fel tân gwyllt o liw'r enfys. Llenwyd y crochan â phistyll o wreichion o liwiau cryf, hyfryd: coch, oren, melyn, gwyrdd, glas, indigo a phorffor.

Ac yna cododd yr enfys fwyaf llachar roedd Siriol a Catrin wedi'i gweld erioed i fyny i'r awyr las glir.

Whwwsh! Saethodd Brochfael a'r tylwyth teg allan o'r crochan, yn cael eu cario ar yr enfys fel ton anferth. Teimlodd Siriol a Catrin eu hunain yn gwibio i fyny'r enfys hefyd. Suodd blodau, sêr, dail, ieir bach yr haf, diferion inc a swigod o lwch hud dros bob man.

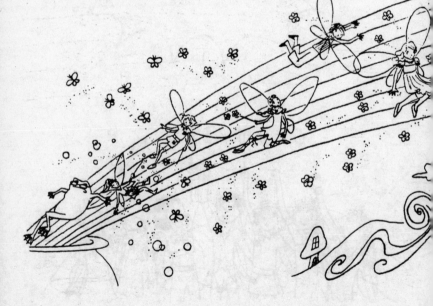

"Mae hyn yn anhygoel!" gwaeddodd
Catrin.

Yn bell islaw, gallai weld bryniau a
thai caws llyffant yma a thraw. Gwlad
y Tylwyth Teg oedd hi! Dacw'r afon
droellog a'r palas gyda'i bedwar
twr.

Yn sydyn, diflannodd yr enfys mewn cwmwl o lwch hud. Curodd Catrin a Siriol eu hadenydd a hofran yn araf i'r llawr. Edrychodd Siriol o'i chwmpas, gan ddisgwyl gweld y lliwiau i gyd yn dod 'nôl i Wlad y Tylwyth Teg.

Ond roedd y bryniau a'r tai caws llyffant yn dal yn llwyd!

"Pam nad yw'r lliw wedi dod 'nôl?" meddai Siriol mewn arswyd.

Cododd Catrin ei hysgwyddau, roedd hi'n poeni gormod i siarad.

Fesul un, glaniodd
Tylwyth Teg yr
Enfys yn dawel
wrth eu hymyl.
A lle roedd pob
tylwythen deg
yn glanio ar y
borfa lwyd, roedd
darn o wyrdd llachar
yn ymledu.

"Edrych, Siriol!" gwaeddodd
Catrin. "Mae'r borfa'n troi'n
wyrdd!"

"Ydy wir!" meddai Siriol, a'i llygaid
yn disgleirio.

Safodd y chwiorydd tylwyth teg
mewn cylch a chodi'u hudlathau.
Saethodd gwreichion o liw'r enfys i'r
cymylau gwyn. Daeth fflach o
fellten aur, ac yna dechreuodd fwrw
glaw.

Syllodd Siriol a Catrin wrth i ddiferion glaw disglair, o bob lliw'r enfys, syrthio i lawr yn dawel o'u cwmpas. Ac wrth iddyn nhw lanio, daeth y lliw 'nôl, gan lifo fel paent llachar dros bopeth yng Ngwlad y Tylwyth Teg.

Roedd y tai caws llyffant yn goch a gwyn disglair. Roedd blodau oren, melyn a phorffor dros y bryniau i gyd. Nawr roedd yr afon yn las hyfryd.

Ar y bryn uchaf, roedd palas y tylwyth teg yn binc pefriog. Wrth i ddrysau ffrynt y palas agor yn araf, roedd sŵn cerddoriaeth i'w glywed.

Hedfanodd Ceirios i lawr at Siriol a Catrin. "Brysiwch!" meddai. "Mae'r Brenin a'r Frenhines yn disgwyl amdanom ni."

Hedfanodd Siriol a Catrin a'r saith tylwythen deg tuag at y palas a Brochfael yn llamu oddi tanyn nhw.

Gwenodd Tylwyth Teg yr Enfys wrth
i bwcaod, corachod a thylwyth teg
ruthro allan o'r palas a dawnsio.
"Hwrê, hwrê i Dylwyth Teg yr Enfys,"
gwaeddodd pawb yn hapus. "Hwrê i
Siriol a Catrin!"

Daeth Gwyn a Gwen ap Nudd allan
o'r palas. Gwisgai'r frenhines ffrog
arian a choron ddiemwnt ddisglair ar ei
phen. Roedd côt a choron y Brenin
wedi'u gwneud o aur.

"Croeso 'nôl, Dylwyth Teg yr Enfys annwyl. Rydyn ni wedi gweld eich eisiau chi," meddai Gwen ap Nudd, gan estyn ei breichiau. "Diolch o galon i chi, Siriol a Catrin!"

Ymgrymodd Brochfael. "Mae hon i chi, Eich Mawrhydi," meddai, gan roi'r gromen eira i Gwyn ap Nudd.

"Diolch, Brochfael," meddai Gwyn. Daliodd y gromen eira yn ei ddwylo ac edrych i mewn iddi. "Nawr 'te, Jac y Rhew," meddai'n ddifrifol. "Os gadawaf i ti ddod allan, wnei di addo aros yn dy gastell rhew a gadael llonydd i Dylwyth Teg yr Enfys?"

Gwgodd Jac y Rhew ond atebodd e ddim.

"Ti biau'r gaeaf o hyd, cofia," meddai Gwen ap Nudd wrtho. Yn y gromen eira, edrychodd Jac y Rhew yn feddylgar. "O'r gorau," meddai. "Ond ar un amod."

"A beth yw hwnnw?" gofynnodd Gwyn ap Nudd.

"Fy mod i'n cael gwahoddiad i Ddawns Gŵyl Ifan y flwyddyn nesaf," meddai Jac y Rhew.

Gwenodd Gwen ap Nudd. "Fe fydd croeso mawr i ti," meddai hi'n garedig.

Curodd Gwyn ap Nudd ei fys ar y gromen eira a holltodd yn ddwy. Neidiodd Jac y Rhew allan a thyfu i'w faint llawn, esgyrnog. Roedd eira'n pefrio ar ei wallt gwyn.

Cleciodd ei fysedd ac
ymddangosodd sled o
rew wrth ei ymyl.
Neidiodd arno a gwibio
fry i'r awyr.

Chwifiodd y tylwyth teg i gyd eu
dwylo arno.

"Hwyl fawr! Fe welwn ni di y
flwyddyn nesaf yn y Ddawns Gŵyl
Ifan!" galwodd Glesni ar ei ôl.

Edrychodd Jac y Rhew dros ei
ysgwydd. Daeth gwên dros ei wyneb
miniog, ac yna diflannodd.

Anrhegion Arbennig Iawn

Gwenodd Gwyn a Gwyn ap Nudd yn gynnes ar Siriol a Catrin.

"Diolch, ffrindiau annwyl," meddai Gwyn ap Nudd. "Hebddoch chi, fyddai swyn Jac y Rhew byth wedi cael ei thorri."

"Fe fydd croeso i chi yng Ngwlad y Tylwyth Teg bob amser," meddai Gwen ap Nudd wrthyn nhw. "A ble bynnag yr ewch chi, gwyliwch am hud a lledrith. Fe ddaw o hyd i chi bob amser."

Hedfanodd Tylwyth Teg yr Enfys draw i ddweud hwyl fawr. Rhoddodd Siriol a Catrin gwtsh i bob un yn eu tro. Roedden nhw'n teimlo braidd yn drist wrth feddwl am adael eu ffrindiau newydd.

Neidiodd Brochfael draw ac ysgwyd eu dwylo. "Hwyl fawr, Miss Siriol a Miss Catrin. Roedd hi'n bleser cwrdd â chi," meddai.

"Nawr dyma enfys arbennig i fynd â chi adre!" meddai Grug.

Cododd y chwiorydd eu hudlathau unwaith eto. Saethodd enfys ddisglair anferth i'r awyr, gan ymestyn yr holl ffordd 'nôl i Ynys Swynlaw.

"I ffwrdd â ni!" gwaeddodd Siriol yn hapus wrth deimlo'i hun yn cael ei sugno i mewn i'r lliwiau pefriog.

"Dwi'n dwlu ar deithio ar enfysau!" meddai Catrin.

Cyn hir roedd y bythynnod gwyliau i'w gweld oddi tanyn nhw. Glaniodd y ddwy'n esmwyth yng ngardd gefn Bwthyn y Fôr-forwyn.

"O, rydyn ni'r un maint ag arfer," meddai Siriol, gan godi ar ei thraed.

"Ac mewn pryd i ddal y fferi!" ychwanegodd Catrin.

"Dyna drueni bod ein hanturiaethau ni gyda'r tylwyth teg ar ben," meddai Siriol yn drist.

Nodiodd Catrin. "Ond cofia beth ddywedodd Gwen ap Nudd ynglŷn â chwilio am hud o hyn ymlaen!"

"Dyna chi," meddai mam Siriol. "Weloch chi'r enfys hardd yna? A doedd hi ddim yn bwrw glaw, hyd yn oed. Mae Ynys Swynlaw yn lle arbennig iawn!"

Gwenodd Catrin a Siriol ar ei gilydd.

"Mae'r car yn barod. Edrychwch o gwmpas eich ystafelloedd gwely rhag ofn eich bod chi wedi gadael rhywbeth ar ôl," meddai mam Catrin.

Rhuthrodd Catrin i'w hystafell wely ym Mwthyn y Dolffin.

"Fe edrycha innau hefyd!" Gwibiodd Siriol i mewn i Fwthyn y Fôr-forwyn a rhedeg i fyny'r grisiau i'w hystafell wely yn yr atig am y tro olaf. Stopiodd yn stond yn nrws ei hystafell wely. "O!" ochneidiodd.

Yng nghanol y gwely, roedd rhywbeth yn disgleirio ac yn pefrio fel diemwnt enfawr.

Aeth Siriol yn nes. Cromen eira oedd hi, yn llawn llwch hud yn holl liwiau'r enfys.

"Dyna'r peth mwyaf prydferth dwi wedi'i weld erioed," meddai Siriol mewn syndod. Cododd y gromen eira a rhuthro drws nesaf.

Roedd Catrin yn rhedeg i lawr y grisiau. Yn ei dwylo roedd cromen eira arall, yn union yr un fath. "Dwi'n mynd i gadw hon am byth!" meddai.

Gwenodd y ddwy ffrind ar ei gilydd. "Bob tro dwi'n ysgwyd fy nghromen eira, neu'n gweld enfys, fe fydda i'n meddwl am Wlad y Tylwyth Teg a holl Dylwyth Teg yr Enfys," meddai Siriol wrth iddyn nhw adael y bwthyn.

"A minnau hefyd!" atebodd Catrin. "Wnawn ni *byth* anghofio ein ffrindiau, y tylwyth teg."

"Na wnawn," meddai Siriol, "*byth*."

gan Daisy Meadows

Ceirios y Dylwythen Deg Goch
978-1-904357-39-1

Gwawr y Dylwythen Deg Oren
978-1-904357-40-7

Heulwen y Dylwythen Deg Felen
978-1-904357-41-4

Alaw y Dylwythen Deg Werdd
978-1-904357-42-1

Glesni y Dylwythen Deg Las
978-1-904357-43-8

Indeg y Dylwythen Deg Indigo
978-1-904357-93-3

Grug y Dylwythen Deg Borffor
978-1-904357-94-0

£3.99 yr un

www.rily.co.uk

CEIRIOS Y DYLWYTHEN
DEG GOCH
978-1-904357-39-1

GWAWR Y DYLWYTHEN
DEG OREN
978-1-904357-40-7

HEULWEN Y DYLWYTHEN
DEG FELEN
978-1-904357-41-4

ALAW Y DYLWYTHEN
DEG WERDD
978-1-904357-42-1

GLESNI Y DYLWYTHEN
DEG LAS
978-1-904357-43-8

INDEG Y DYLWYTHEN
DEG INDIGO
978-1-904357-93-3

GRUG Y DYLWYTHEN
DEG BORFFOR
978-1-904357-94-0

Casglwch bob un o lyfrau
Hud yr ... yn ôl
i ...

I'r tylwyth teg yng ngwaelod
fy ngardd

Diolch arbennig i
Sue Bentley

Grug y Dylwythen Deg Borffor

ISBN 978-1-904357-94-0

Addasiad gan Elin Meek
Hawlfraint yr addasiad
© RILY Publications Ltd 2012
Cyhoeddwyd gan RILY Publications Ltd,
Blwch Post 20, Hengoed, CF82 7YR

Cyhoeddwyd gyntaf ym Mhrydain Fawr
yn 2003 gan Orchard Books.

Cyhoeddwyd yn wreiddiol yn Saesneg
fel *Heather the Violet Fairy*
Heather the Violet Fairy © 2003 Rainbow Magic Ltd.
A HIT Entertainment Company
Rainbow Magic is a trademark of Rainbow Magic Limited.
Reg. U.S. Pat. & Tm. Off. and other countries.

Hawlfraint y testun: © 2012 Rainbow Magic Ltd
A HIT Entertainment Company

Hawlfraint y darluniau: © Georgie Ripper 2003

Mae Georgie Ripper wedi datgan ei hawl dan Ddeddf Hawlfraint, Dyluniadau
a Phatentau 1988 i gael ei chydnabod fel darlunydd y llyfr hwn.

Dymuna'r cyhoeddwyr gydnabod cymorth Cyngor Llyfrau Cymru.

Argraffwyd a rhwymwyd ym Mhrydain gan
CPI Group (UK) Ltd, Croydon, CR0 4YY

www.rily.co.uk